Charlotte Link

Die Insel

Eine unheimliche Geschichte

Mit Illustrationen von Horst Meyer

Rowohlt Taschenbuch Verlag

3. Auflage Mai 2006

Originalausgabe
Veröffentlicht im Rowohlt Taschenbuch Verlag,
Reinbek bei Hamburg, Mai 2006
Copyright © 2006 by Rowohlt Verlag GmbH,
Reinbek bei Hamburg
Die Erzählung «Das Verhängnis» erschien bereits in
«Der schönste Platz der Welt: Sylt» von Brigitte Blobel u.a.,
Wunderlich Taschenbuch
Copyright © 2000 by Rowohlt Taschenbuch Verlag GmbH,
Reinbek bei Hamburg
Umschlaggestaltung any.way, Barbara Hanke
(Abbildung: Horst Meyer)
Satz Dante MT PostScript, QuarkXPress 4.11
Gesamtherstellung Clausen & Bosse, Leck
Printed in Germany
ISBN 13: 978 3 499 24297 7
ISBN 10: 3 499 24297 4

Nachts hatte er Mordgedanken.

Er konnte nicht schlafen, obwohl er den ganzen Tag am Meer entlanggelaufen, durch den schweren, nassen Sand dicht an der Brandung gestapft war, obwohl er so viel frische Luft in den Lungen hatte, dass es für Jahre hätte reichen müssen ... nicht zu vergessen den Whisky, den er abends noch getrunken hatte, um sein Elend zu vergessen und müde genug zu werden, die quälenden Bilder verscheuchen und einschlafen zu können.

Er hatte sich immer als Pazifist bezeichnet, hatte jede Art von Gewalt als primitiv erachtet, hätte nie geglaubt, dass er sich einmal mit Gewaltphantasien herumschlagen würde. Aber nun tat er es. Er konnte an gar nichts anderes mehr denken.

Er wünschte dem fetten, alten, reichen Kerl jede nur vorstellbare schwere Krankheit an den Hals. Er sah ihn mit einem Messer im Herzen, mit einem Gewehrlauf an der Schläfe. Er sah ihn im Meer ertrinken und als hässliche, aufgequollene Leiche bei Flut an den Strand gespült werden. Er sah ihn vergiftet, geviertelt, erhängt, verbrannt. Und er sah sich als den Täter, sah sich hängen, sich geviertelt, sich ertränkt.

Sein Körper schwamm im Schweiß bei diesen Vorstellungen. Sein Atem ging schneller. Das Entsetzen über sich selber lag im ständigen Gefecht mit dem Hass, den er für das Opfer empfand.

Das bin ich nicht, dachte er, setzte sich auf und knipste das Licht an, das kann nicht ich sein. Es ist ein anderer.

Das Zimmer sah so freundlich und harmlos aus wie immer. Das typische Wohnzimmer in einem typischen Ferienappartement: billiger Tisch, billige Stühle, billige Schränke. Alles praktisch, zweckdienlich, robust und von ausgesuchter Scheußlichkeit. Aber trotzdem freundlich. Bunte Vorhänge und zwei gerahmte Fotografien von Sonnenuntergängen am Strand bei Rantum an der Wand. Ein Strauß Blumen auf dem Fernseher. Den hatte die Vermieterin dort hingestellt, zumindest nahm er das an. Niemand sonst kam hier herein, und sie war heute zum Putzen da gewesen. Er hatte die Blumen vorgefunden, als er spätabends von Strand und Kneipe zurückgekommen war. Die Blumen – hellrosa Strauchrosen – waren ihm sofort aufgefallen, und im ersten Moment hatte er geglaubt, Clara sei wieder da. Sein Herz hatte zu jagen begonnen, sein Mund war in Sekundenschnelle ausgetrocknet. Doch dann hatte er festgestellt, dass sie nicht da war und dass nichts hier darauf hinwies, dass sie überhaupt je da gewesen war. Er konnte nicht ein Kleidungsstück von ihr entdecken, auch nicht Schuhe oder eine Handtasche. Keine Spur von Kosmetika im Bad, keine zweite Zahnbürste. Von Clara stammten die Rosen nicht.

Warum stellt mir die Alte Rosen ins Zimmer?, hatte er aggressiv gedacht, war kurz versucht gewesen, Vase samt Rosen vom Fernseher zu fegen. Sie soll hier putzen und mich im Übrigen in Ruhe lassen, dafür bekommt sie ihr Geld, verdammt!

Wahrscheinlich sah er nach dieser furchtbaren Woche schon so elend aus, dass es selbst der Vermieterin aufgefallen war. Die Rosen mochten eine Geste des Mitleids sein. Mitleid war das Letzte, was er jetzt noch brauchen konnte, aber er hatte die Blumen dann dennoch stehen lassen, denn sie konnten für all diesen Schlamassel nichts, und es hätte ihm wehgetan, sie zerrupft und enthauptet auf dem Teppich liegen zu sehen.

Noch immer konnte er nicht im Schlafzimmer schlafen. In das breite Bett, das er mit Clara geteilt hatte, hätten ihn keine zehn Pferde gebracht. Das Laken roch noch nach ihr, und sie hatte ein T-Shirt unter der Decke liegen gelassen – am Tag nach ihrem Fortgehen war es ihm aufgefallen. Das Shirt hatte sie in den Nächten getragen. Es war blau und verwaschen, und vorne prangte das Bild einer Sonnenblume drauf, zumindest Reste einer Sonnenblume, denn auch hier hatten viele Waschmaschinengänge bereits gewirkt und die Farben aus Blättern und Blüten gesaugt.

Masochistisch, wie er manchmal sein konnte, hatte er sich das T-Shirt an die Nase gepresst, Claras Haut und ihr Parfüm gerochen und war dann weinend neben dem Bett auf die Knie gefallen, hatte geschluchzt und gezittert und sich den Tod gewünscht. Erst als er vor Erschöpfung nicht mehr hatte weinen können, war er aufgestanden, hatte das Hemd in eine Ecke geworfen, seine Bettdecke und das Kopfkissen gepackt und war damit ins Wohnzimmer gezogen, hatte sich auf dem Sofa ausgestreckt und zu schlafen versucht. Es war die zweite schlaflose Nacht gewesen, der eine dritte, vierte und fünfte folgten. Er hätte nie gedacht, dass ein Mensch so lange ohne Schlaf auskäme. Aber vielleicht dämmerte er zwischendurch vor sich hin. Vielleicht waren seine Angst erregenden Phantasien in Wahrheit Albträume. Das würde zumindest bedeuten, dass er nicht direkt etwas dafür konnte.

Er sah sich noch einmal im Zimmer um und fragte sich, weshalb er überhaupt noch hier war. Er hätte längst abreisen müssen oder zumindest in eine andere Pension oder in ein anderes Appartement umziehen. Was allerdings nicht ganz leicht gewesen wäre: Sylt war im Sommer praktisch kom-

plett ausgebucht. Es wäre schon äußerstes Glück gewesen, wenn er noch irgendwo etwas gefunden hätte. Aber er versuchte es nicht einmal, und er zog auch nicht in Erwägung, sich ins Auto zu setzen und nach Hause zu fahren. Er wusste, warum. Irgendwo in ihm war noch die unsinnige Hoffnung, Clara könnte plötzlich zurückkommen. Er würde eines Abends vom Strand heimkehren, und sie hätte sich entweder von der Vermieterin den Schlüssel geholt und erwartete ihn am Esstisch sitzend, oder sie säße auf der Stufe vor der Haustür, ihren großen, voll gepackten Rucksack neben sich, die nackten, braun gebrannten Beine von sich gestreckt.

«Gut, dass du kommst», würde sie sagen. Sie würde erschöpft aussehen und so, als ob sie Angst gehabt hätte, er könnte womöglich schon abgereist sein. «Ich habe Stunden gewartet!»

«Ich habe Tage gewartet», würde er erwidern. Er fand, das wäre wohl eine gute Antwort in diesem Moment. Er würde nach dem Schlüssel kramen, und sie würde ein wenig kleinlaut fragen: «Darf ich überhaupt noch mit hineinkommen?»

«Komm mit», würde er sagen, ziemlich kurz

angebunden, und auf ihre Züge würde sich ein erster Anflug von Erleichterung malen, während sie ihm in die Wohnung folgen und sich etwas scheu umsehen würde, ohne zu wissen, wonach.

Er legte sich in sein Kissen zurück, ließ aber das Licht brennen und starrte zur Decke. Er wusste, dass die Szene so nicht aussehen konnte. Clara war die selbstbewussteste Frau, die er je kennen gelernt hatte. Selbst nach diesem unsäglichen Abenteuer würde sie noch hoch erhobenen Hauptes in sein Leben zurückmarschieren und erwarten, dass er Freudentränen vergösse.

Worauf sie lange warten kann, dachte er grimmig, ich weiß gar nicht, ob ich sie noch will!

Wahrscheinlich lag sie jetzt mit dem fetten, alten Kerl im Bett. Sicher in einer weit nobleren Herberge, als es dieses Appartement war. Im «Ritz» mindestens. Sie war jetzt seit vier Tagen in Paris, und sicher hatte sie den Typen schon ziemlich abgezockt. Besaß Schmuck und Kleider wie noch nie in ihrem Leben. Trank jeden Abend Champagner bis zum Abwinken und schlürfte dazu Austern.

Wie ich sie kenne, dachte er gehässig, wird sie

nicht davor zurückschrecken, jedes noch so dämliche Klischee zu erfüllen. Sie wird gar nicht merken, welch ein verachtenswertes Bild sie dabei abgibt.

Er wälzte sich hin und her, merkte, dass er zu schwitzen begann. Sich Clara im Bett mit dem alten Knacker vorzustellen überstieg seine Kräfte. Das tat zu weh. Das tat so verdammt weh, dass er fluchtartig sein Sofa verließ. Er konnte nicht liegen bleiben, die Bilder fielen nun förmlich über ihn her, attackierten ihn von allen Seiten. O Gott, wenn er sich jetzt wieder hinlegte, würde er wahnsinnig werden. Er würde die fürchterlichsten Dinge sehen, die Clara mit dem Alten anstellte und die dieser Mann mit ihr anstellte, und bis morgen früh würde er den Verstand verloren haben.

Er zog Hose und Pullover an, nahm seine Jacke von der Garderobe. Besser, er liefe für den Rest der Nacht in der Gegend herum, als er fiele auf diesem Sofa, in diesem Zimmer langsam in eine tiefe Depression.

Ein frischer Wind wehte von Westen, ziemlich kühl für eine Augustnacht. Aber auch die Tage waren zurzeit nicht heiß, seit einer Woche herrschte eher frisches Wetter. Viele Wolken schoben sich immer wieder vor die Sonne; wer nicht im geschützten Strandkorb lag, fing an zu frösteln. Ihm war das gleich. Er wollte sowieso nicht einfach in der Gegend herumliegen. Er wollte laufen, praktisch von morgens bis abends und – wie es nun schien – auch von abends bis morgens. Er hatte den Eindruck, nie mehr damit aufhören zu können.

Durch das schlafende Wenningstedt lief er die Straße zum Strand entlang. Er hielt den Kopf gesenkt, denn der Wind tat ihm in den Augen weh. Nichts rührte sich oben auf der Uferpromenade. Hier saßen tagsüber und am Abend die Feriengäste dicht gedrängt, schauten über das Meer, tranken Weißwein und aßen Shrimps. Clara hatte diesen Platz gemocht. Nach einem Strandtag hatte sie hier gerne Halt gemacht und den ersten Cocktail des Abends getrunken. Er konnte sie vor sich sehen, ihre langen, windzerzausten Haare, das tief gebräunte Gesicht, den lachenden Mund. Sie liebte die Insel, war ein anderer Mensch, kaum rollten sie in Westerland vom Autozug.

Daheim in Berlin konnte sie manchmal grüblerisch sein und zur Melancholie neigen – was er übrigens an ihr immer gemocht hatte. Ihre gute Laune auf Sylt hatte ihn verunsichert. Er hatte dann nicht mehr das Gefühl gehabt, dass sie ihn brauchte; sie war dann zu sehr die Frau, die ihr Leben ohne irgendein Problem alleine meistert. Und eine Menge männlicher Blicke zog sie auf sich, viel mehr als in Berlin. In dem Anflug von Traurigkeit, der sich manchmal über ihr Gesicht legte, sah sie nicht halb so attraktiv aus wie in der strahlenden Fröhlichkeit, die sie auf der Insel ausstrahlte. Er hatte genau gemerkt, wie die Kerle ihr hinterher starrten. Und sie hatte es auch gemerkt, und es hatte ihr gefallen, und sie hatte gelacht, wenn sie seine Eifersucht spürte.

«Lass sie sich doch umdrehen nach mir», hatte sie gesagt, «glaubst du, ich will irgendetwas von denen? Die können mir alle miteinander total gestohlen bleiben.»

«Schau dir ihre Porsches an, ihre Cartieruhren, ihre fetten Wohlstandsbäuche», hatte er erwidert, «wahrscheinlich fändest du es ganz nett, so einen reichen Typen abzupumpen!»

Sie hatte laut gelacht. «Du kommst auf Ideen! Du weißt genau, dass ich mir aus diesem ganzen blöden Getue nichts mache!»

«Ja, das dachte ich ja auch. Ich dachte wirklich, du bist anders als andere Frauen.»

«Du dachtest? Welchen Anlass habe ich dir gegeben, deine Meinung über mich zu ändern?»

Er wusste, dass er sich bockig benahm, aber er konnte nicht anders. «Warum willst du in jedem Sommer nach Sylt?», hatte er zurückgefragt. «Wir könnten auch woanders hinfahren. Aber nein, es muss die Insel sein, auf der die meisten reichen Säcke herumhängen!»

«Weil es unsere Insel ist», hatte sie gesagt, «deshalb will ich hier immer wieder hin.»

Er kletterte die steilen Holztreppen zum Strand hinunter. Wie tief dunkel es hier war! Die Wolken verdeckten gerade den Mond und die meisten Sterne. Nur der weiße Sand gab der Nacht eine Spur von Helligkeit. Er zog seine Schuhe und Strümpfe aus, ließ sie einfach am Fuße der Treppe stehen. Er würde nachher wieder hier vorbeikommen.

Das Meer war schwarz und kam ihm bedrohlich vor, fremd und unnahbar, ganz anders als im Tageslicht. Er fror, aber er lief so schnell, dass ihm bald warm werden würde. Er ging dicht an der Brandung entlang, seine Füße wurden nass. Egal, sie würden auch wieder trocken werden. Was waren nasse Füße gegen eine in sich zusammengebrochene Lebensvorstellung? Gegen den Schmerz, sich so völlig in einem Menschen getäuscht zu haben?

Aber eigentlich habe ich mich nicht in ihr getäuscht, dachte er, ich hatte genau den richtigen Instinkt. Ich wusste schon, warum ich nicht mehr auf die Insel wollte, und ich wusste, warum sie hierher wollte! Sie war anfällig für Geld und Schickeria, und mit jedem Jahr wurde sie es mehr. Ihre Ideale blieben nach und nach auf der Strecke. Sie wurde gieriger, hungriger. Sie war infiziert. Sie hat sich noch eine Weile gewehrt, aber die Krankheit hatte sie im Grunde schon besiegt. Es war nur eine Frage der Zeit gewesen, wann sie die Waffen strecken würde.

Unsere Insel! Er dachte an den Sommer ihres

Kennenlernens. Vor fünf Jahren war das gewesen. Hier auf Sylt. Er war eigentlich nur da gewesen, um sich um den Nachlass einer Verwandten zu kümmern; eine alte Tante war gestorben und hatte zwei Häuser in Keitum hinterlassen. Er, als einziger Jurist in der Familie, war ausersehen worden, sich um die Formalitäten zu kümmern.

Er hatte sich damals nur noch schwach an die Insel erinnert. Als kleiner Junge war er zweimal mit seinen Eltern zu Gast bei der Tante gewesen, aber er hatte die robuste, ziemlich derbe Frau nicht gemocht und war später nicht mehr wiedergekommen. Er hatte die Insel nun, als fast Vierzigjähriger, neu entdeckt und stand ihr zwiespältig gegenüber. Ihren Reizen hatte er sich kaum entziehen können, wer konnte das schon. Er war fasziniert gewesen von dem Geruch des Windes, von der Brandung der Nordsee, von den strohgedeckten Häusern, von den kleinen steinernen Mauern, die die Grundstücke umschließen, von den wilden Heckenrosen und von Wanderungen im Watt, von den Vögeln, die er dort sah, und von der Einsamkeit, die er dort zu finden vermochte.

Auf der anderen Seite hatte ihm der zur Schau gestellte Reichtum nicht gefallen. Vor allem abends, in den Bars und Kneipen, glitzerte ihm die Insel zu sehr. Viele der Menschen, die er getroffen hatte, waren ihm zu laut, fuhren zu protzige Autos, behängten sich mit zu viel Schmuck und führten hauptsächlich einen seiner Ansicht nach flachen Smalltalk. Er wollte die Häuser verkaufen und sich dann davonmachen und höchstwahrscheinlich nicht wiederkommen.

Clara hatte er durch einen dummen Zufall kennen gelernt. Er war in ihrem Strandkorb gelandet. Er hatte ihn mit seinem verwechselt, beide waren sie grün-weiß gestreift und standen unmittelbar nebeneinander. Sie war aus dem Wasser gekommen und unsicher vor ihm stehen geblieben, sie wusste für einen Moment auch nicht mehr, welcher Strandkorb wem gehörte. Aber dann hatte sie ihr Handtuch entdeckt und gelacht.

«Das ist meiner», hatte sie gesagt.

Er hatte das keinen Moment lang angezweifelt, war sofort aufgestanden und hatte sich entschuldigt. Er dachte, dass sie sein Verhalten als plumpe

Anmache ansehen musste, und wusste nicht, wie er ihr hätte beweisen sollen, dass es tatsächlich ein Zufall gewesen war. Aber sie schien gar nicht daran zu denken, denn gleich am nächsten Tag suchte sie das Gespräch mit ihm, und am übernächsten Tag verabredeten sie sich zu einem Wattspaziergang, und danach gingen sie essen in Kampen und unterhielten sich bis weit nach Mitternacht.

Sie lebten beide in Berlin, was er für weit mehr als einen Zufall hielt. So begann ihre Liebe, und es machte ihm Spaß, Clara, die gerade ein Zweitstudium begonnen hatte, zu finanzieren.

Er überredete sie, zu ihm in die Wohnung zu ziehen, und nach einigem Hin und Her willigte sie ein. Er fand, dass sie wie füreinander geschaffen seien, vor allem, weil sie dieselbe Weltanschauung hätten. Seine Wertvorstellung deckte sich mit ihrer. Beide mochten sie unverhohlen zur Schau gestellten Reichtum nicht, und fanden, dass sich eine bedauerliche Dekadenz breit gemacht hatte. Die meisten Menschen hatten wenig Moral, und wenn Clara dem auch nicht dieselbe Bedeutung zumaß wie er, so pflichtete sie ihm zumindest im

Wesentlichen bei, wenn er seine langen Monologe zu dem Thema hielt. Daraus schloss er, dass sie dachte wie er. Jetzt, im Nachhinein, nachdem die Katastrophe über ihn hereingebrochen war, überlegte er, dass sie vielleicht manchmal nur ihre Ruhe hatte haben wollen. Dass sie «Ja» gesagt hatte, um das Thema nicht vertiefen zu müssen.

Er mochte es, dass sie politisch bei den Grünen stand und ihr Lebensstil von ökologischen Idealen geprägt war, ohne dabei penetrant zu sein. Ihre Vorliebe für handgefertigten Silberschmuck und ihre völlige Abkehr von jeglicher Haute Couture gaben ihm Sicherheit. Clara würde nie zu korrumpieren sein. Sie würde sich und ihm treu bleiben.

Der einzige Streit, den sie alljährlich hatten, drehte sich um den Sommeraufenthalt auf Sylt.

«Warum», fragte er immer wieder, «willst du dort unbedingt hin? Es gibt so viele andere Orte, in denen wir Ferien machen könnten!»

«Aber ich liebe Sylt!» Clara konnte absolut unnachgiebig sein, Sie war als Kind mit ihren Eltern in jedem Sommer auf der Insel gewesen, sie konnte von dieser Tradition nicht abweichen, sie brauchte die Atmosphäre dort, die Luft, das Wasser, den Geruch, sie brauchte all die vertrauten Plätze ihrer Kindheit. Und zuletzt kam stets das Argument, das sie sich als Trumpf aufsparte und das sie offensichtlich für völlig unwiderlegbar hielt: «Es ist unsere Insel!»

Die Häuser der alten Tante hatte er längst verkauft, und so wohnten sie Jahr für Jahr in dem billigen kleinen Appartement, das Clara im Sommer ihres Kennenlernens gemietet hatte. Er sagte, wenn sie schon unbedingt diesen Nostalgie-Trip glaube machen zu müssen, dann solle sie dabei auch konsequent sein und die schlichte Unterkunft ihres ersten Sommers beibehalten. Clara, dankbar genug, ihn überhaupt zu der Reise bewogen zu haben, willigte stets ein. Er beobachtete sie dabei mit Argusaugen; hätte sie abgelehnt oder zu debattieren begonnen, wäre dies für ihn der Beweis gewesen, dass sie anfinge, sich nach der Glitzerwelt zu sehnen, die er so sehr verabscheute und von der er stets fürchtete, sie werde Clara dort auf Sylt in ihren Bann ziehen.

Niemals, dachte er nun, hätte ich noch mit ihr hierher kommen dürfen.

Er blieb stehen und schaute über das Meer, das schwarz war und gefährlich. Ich hätte mich auf meinen Instinkt verlassen sollen. Man soll sich immer auf seinen Instinkt verlassen.

Er lief zurück, fand seine Schuhe am Fuße der Treppe, wo er sie abgestellt hatte. Sand knirschte zwischen seinen Zehen, als er zur Uferpromenade hinaufstieg. Vielleicht würde er jetzt schlafen können. Er hoffte es. Er sehnte sich danach, Ruhe vor seinen quälenden Gedanken zu finden.

Am nächsten Morgen saß er am Frühstückstisch, als – völlig außer der Reihe – die Vermieterin erschien. Er hatte natürlich nicht geschlafen und war müde zum Umfallen. Strahlende Sonne hatte in den ersten frühen Morgenstunden zum Fenster hineingeschienen, und er hatte gedacht, dass nun wenigstens einmal ein richtig schöner Sommertag sein würde, aber inzwischen hatte der Wind schon wieder Wolken herangeblasen, die Sonne war verschwunden, und als er für einen Moment vor die

Tür getreten war, hatte er festgestellt, dass es kühl war.

Dieser August ist fast schon herbstlich, hatte er gedacht.

Er hatte sich schwarzen Kaffee eingegossen und würgte ein Brötchen hinunter, aber im Grunde hatte er keinen Hunger. Er hatte sicher stark abgenommen, aber auch diese Vorstellung gab ihm kein gutes Gefühl. Unter Figurproblemen hatte er sowieso nie gelitten. Als es klingelte, war er aufgestanden und hatte hoffnungsvoll die Tür geöffnet, aber es war nur die dicke Alte, die vor ihm stand.

«Ach, Sie sind noch gar nicht am Strand», sagte sie und versuchte, an ihm vorbei in den Wohnraum zu spähen, «ich dachte, weil Sie doch sonst immer schon so früh unterwegs sind ...»

«Ich habe verschlafen», sagte er, eine Bemerkung, die nicht ohne Ironie war angesichts des Umstandes, dass er seit Nächten fast gar nicht mehr schlief, und wenn doch, dann sehr rasch immer von seinen Albträumen geweckt wurde. «Aber nach dem Frühstück werde ich zu einer Wanderung aufbrechen.»

«Die junge Dame ist wohl nicht mehr da? Jedenfalls habe ich sie gar nicht mehr gesehen, und auch als ich gestern hier sauber gemacht habe …»

«Ja?»

«Na ja, es sah gar nicht mehr so aus, als ob hier eine Frau wohnt», meinte die Alte. Sie war eine resolute Friesin, und es hatte nicht den Anschein, als schämte sie sich für ihre Neugier. «Hat es ihr hier plötzlich nicht mehr gefallen?»

Er überlegte, ob er ihr reinen Wein einschenken sollte. «Nein, es hat ihr wohl nicht mehr gefallen», sagte er.

Die Alte starrte ihn betroffen an. «Nein? Aber nun kommt sie doch schon seit Jahren hierher und war immer zufrieden …»

«Sicher war sie das. Aber es hängt immer von der Alternative ab, nicht wahr?»

«Was meinen Sie?»

Er seufzte. «Man ist mit einer Sache nur so lange zufrieden, wie man nichts Besseres hat. Wenn ein phantastisches Angebot kommt …»

Die Alte wirkte verletzt. «Also, ich denke nicht, dass sie derart preisgünstig eine so angenehme

Wohnung irgendwo auf der Insel bekommt! Ist hier nicht alles, was man braucht? Und dann die Nähe zum Strand und eigener Zugang zum Garten und ...»

Wenn sie nun anfinge, die Vorzüge ihrer Primitiv-Herberge aufzuzählen, würde sie kein Ende finden.

Beschwichtigend legte er ihr die Hand auf den Arm. «Nein, nein, hier ist schon alles in Ordnung. Es ist auch weniger die Wohnung, was ihr nicht mehr gefallen hat ...»

«Was denn dann?»

Er hatte ohnehin keine Selbstachtung mehr. Es kam nicht mehr darauf an, ob irgendjemand sonst seine Niederlage mitbekäme oder nicht.

«Sie ist mit einem anderen Mann auf und davon», sagte er.

Die Alte bekam fast ihren Mund nicht mehr zu. «Ach, du liebe Güte ... das ist ja furchtbar ... deshalb sehen Sie so grau und schlecht aus in den letzten Tagen ... wie konnte das denn geschehen?»

Ja, wie geschieht so etwas wohl?, dachte er aggressiv. Wie kann jemand so dumm fragen?

«Es ist eben passiert», sagte er, «und nun ist sie fort, und ich bin noch hier.»

Sie kapierte offenbar, dass sie keine Chance hatte, weitere Informationen aus ihm herauszuholen. «Wenn ich irgendetwas für Sie tun kann …», murmelte sie, und er sagte ungeduldig: «Dann lasse ich es Sie wissen, ja, vielen Dank.» Sie wandte sich schon zum Gehen, da fiel ihm noch ein, sich für die Rosen zu bedanken, die sie ihm hingestellt hatte.

«Gern geschehen», sagte sie, und er dachte, dass sie wohl eine ganz warmherzige Person sei, die durchaus mütterliche Gefühle hegte für ihre Gäste.

Aber helfen konnte sie ihm nicht.

An diesem Tag wanderte er von Wenningstedt bis nach List hinauf, ging ein langes Stück am Wasser und dann von Kampen aus durch die Dünen und am Wattenmeer entlang. Er aß bei «Gosch» Scampis und trank ein Glas Prosecco, saß draußen und ließ sich die Sonne, die sich bis zum Mittag wieder hervorgekämpft hatte, aufs Gesicht scheinen. Es waren Menschenmassen um ihn herum, aber er nahm ihre Stimmen und Gesichter nur wie durch einen Filter wahr. Er hätte ebenso gut alleine sein können.

Morgen werde ich abreisen, dachte er.

Clara war immer gerne gewandert; sie konnte ungeheure Strecken zurücklegen und dabei reden und lachen, als säße sie gemütlich auf einer Terrasse und habe nichts anderes zu tun, als zu plaudern. Er war oft mit ihr nach List gelaufen, sie hatten hier zu Mittag gegessen und sich dann auf einen gemütlichen Rückweg gemacht, der den ganzen Nachmittag dauern konnte. Manchmal hatte Clara Muscheln gesammelt, manchmal hatte sie plötzlich gesagt: «Komm, wir legen uns ein bisschen in die Sonne und schlafen.»

Sie hat die einfachen Dinge des Lebens geliebt, dachte er, und es hätte keinen Grund geben müssen für sie, plötzlich das Leben anders zu sehen.

Warum ändern sich Menschen?, fragte er sich. Gibt es nicht meistens irgendeinen Auslöser? Irgendein Ereignis? Kann es sein, dass ich etwas falsch gemacht habe?

Sie war noch jung, fast zehn Jahre jünger als er. Aber auch mit dreißig wirft man alte Prägungen doch nicht plötzlich über Bord, oder? Das tut man vielleicht mit zwanzig. Mit dreißig ist man gefestigt, da hatte man sich die Hörner abgestoßen, da hat man bereits ein paar Dinge ausprobiert und weiß, was man mag und was nicht.

Vielleicht eine spätpubertäre Oppositionshaltung, in die ich sie getrieben habe, dachte er. Sie war in der letzten Zeit manchmal ein wenig gereizt gewesen, wenn er ihr seine «Moralpredigten», wie sie es nannte, gehalten hatte.

«Jaja, ich weiß», hatte sie dann genervt gesagt, «du musst es nicht ständig wiederholen!»

Vielleicht, dachte er, wollte sie sich gegen mich abgrenzen. Etwas tun, was einen Graben zwischen uns aufreißen sollte. Vielleicht hat sie ganz dringend Abstand gebraucht.

«Lass mir ein bisschen Luft zum Atmen», hatte sie manchmal gesagt, wenn er sich nachts im Schlaf an sie gedrängt und beide Arme um sie geschlungen und sie immer dichter an sich herangezogen hatte. «Ich muss mich noch bewegen können.»

Ich muss mich noch bewegen können … Dieser Satz war vermutlich viel tiefgründiger gewesen, als er ihn zuerst verstanden hatte. Ihn hatte es traurig gestimmt, dass sie im Bett nicht so geduldig seine Nähe suchte wie er ihre, aber nun begriff er, dass sie ihm viel mehr hatte sagen wollen.

Sie hat sich eingeengt gefühlt, dachte er, festgelegt auf eine Lebensweise, die sie noch gar nicht als die zu ihr gehörende akzeptiert hatte. Jedes Wort, das ich in diese Richtung gesprochen habe, muss ihren Wunsch zum Widerstand geschürt haben.

Er trank einen letzten Schluck Prosecco und wollte gerade aufstehen, um sich ein zweites Glas zu holen, da wurde er von einem Mann angesprochen.

«Hallo! Ich habe Sie ja lange nicht gesehen!»

Er wandte sich um. Er kannte den Typ flüchtig, der an seinen Tisch getreten war und sich nun unaufgefordert zu ihm setzte. Er hatte ein paar Mal in der Bar im Kampener «Gogärtchen» gesessen, als er mit Clara dort gewesen war. Irgendwann waren sie ins Gespräch gekommen. Der Mann nannte sich Joe, gab sich sehr weltmännisch, respektierte aber, dass Clara einen Begleiter hatte. Er versuchte nicht, mit ihr zu flirten, und das immerhin war angenehm an ihm gewesen. Aber das war auch das einzig Angenehme an ihm, dachte er nun.

«Wo ist denn Ihre hübsche, blonde Freundin?», fragte Joe und stellte sein Bierglas vor sich auf dem Tisch ab. «Ich habe euch beide seit Tagen nicht mehr in der Kneipe gesehen!»

«Sie ist nicht mehr da», sagte er.

Joe starrte ihn genauso überrascht an, wie es am Morgen die Wirtin getan hatte.

«Wie – sie ist nicht mehr da?»

Er fragte sich, wie Joe so schwerfällig sein konnte. Er hatte schließlich miterlebt, wie der reiche, alte Kerl im «Gogärtchen» Clara angebaggert hatte.

«Sie ist mit dem alten Geldsack auf und davon», sagte er.

«Mit welchem?», fragte Joe.

«Mit dem, der sie neulich abends so unverschämt bedrängt hat.»

Joe, dem der Alkohol offensichtlich schon weit

mehr Gehirnzellen zerfressen hatte, als es auf den ersten Blick den Anschein hatte, begriff noch immer nicht, worum es ging. «O Gott, keine Ahnung mehr, wer das war. Sie ist weggegangen mit einem?»

«So ein reicher Typ. Mit Goldkettchen und Rolex. Und Porsche. Er hat sie an der Bar angesprochen.»

Joe legte seine flache Stirn in Falten. «Ich erinnere mich. Total dunkel. Aber sie ist doch kein bisschen auf ihn eingegangen!»

Er lächelte müde. Joe konnte das natürlich nicht wissen. Er kannte Clara nicht. Clara war nicht plump, nicht direkt, das war sie nie gewesen. Ein gewisses Stilgefühl konnte man ihr nicht absprechen.

Er war auf der Toilette gewesen, und als er zurückgekommen war, hatte er gesehen, wie sich Clara mit dem Kerl unterhielt. Er hatte sich, das wurde ihm klar, zu lange auf der Toilette aufgehalten, er hatte Clara zu lange allein gelassen. Aber es war ihm nicht gut gegangen, er hatte sich ein paar Mal kaltes Wasser ins Gesicht spritzen müssen, hatte sein erhitztes Gesicht an die kühlen Kachelwände gepresst. Er wusste nicht, weshalb Clara neuerdings immer abends ausgehen wollte.

«Lass uns doch einmal wieder daheim bleiben», hatte er gesagt, «wir waren jetzt vier Abende hintereinander in dieser Bar ...»

Sie hatte gelacht. «Sei doch nicht so phlegmatisch! Den ganzen Tag hängen wir beide zusammen. Es macht Spaß, abends ein paar andere Menschen kennen zu lernen.»

«Männer meinst du!»

«Menschen. Ich habe überhaupt kein Bedürfnis, speziell Männer kennen zu lernen.»

Es saßen dann aber praktisch nur Männer an der Bar. Zeitweise war Clara die einzige Frau. Er bemerkte, dass sie alle Blicke auf sich zog. Sie sah gut aus an diesem Abend, braun gebrannt inzwischen, fröhlich und strahlend. Sie unterhielt sich eine Zeit lang mit Joe, aber das schien ungefährlich: Joe war zwei Köpfe kleiner als sie und so schmierig, dass sich keine Frau von Verstand mit ihm eingelassen hätte. Trotzdem merkte er, dass er

Kopfschmerzen bekam. Dies hier war nicht seine Welt. Er wollte Clara nicht an diese bedrohliche Welt verlieren.

Warum ist das auf Sylt nicht voneinander zu trennen?, fragte er sich mit steigender Verzweiflung. Warum besteht diese Insel nicht einfach nur aus Meer und Sand, aus Dünen, aus Deichen und Schafen und kleinen, beschaulichen Fischerkneipen? Warum ist sie so verdammt schick? So reich? So mondän?

Irgendwann hatte er es nicht mehr aushalten können und war zur Toilette gegangen, und diese Minuten hatte der Rolexträger mit Bierbauch unverzüglich genutzt. Clara hatte ein neues Glas Champagner vor sich stehen. Er mutmaßte, dass ihr den der Geldsack bezahlt hatte.

Clara stellte ihn als Addi aus Düsseldorf vor.

«Addi ist in der Modebranche tätig», erklärte sie, während er sich fragte, ob Addi eigentlich auch einen Nachnamen hatte, und weshalb er und Clara bereits auf Du waren.

«Ich komme seit zwanzig Jahren auf die Insel!», dröhnte Addi, «ich sag immer, wer einmal hier war,

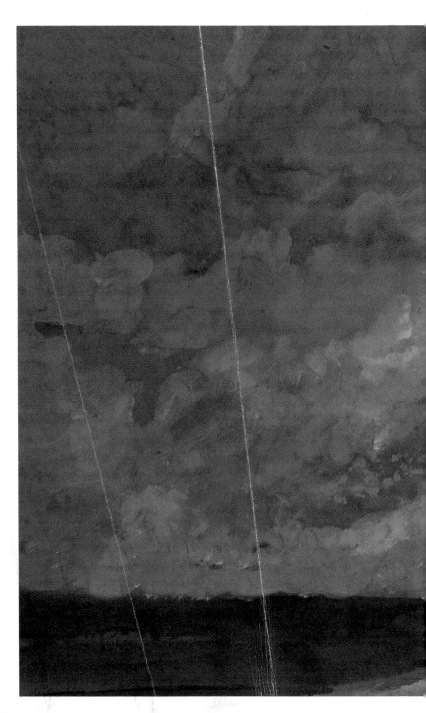

der kommt immer wieder. Man wird süchtig. Ich weiß, wovon ich spreche!»

«Mir geht es genauso», sagte Clara, «ich war als Kind mit meinen Eltern hier, und seitdem muss ich Sylt wenigstens einmal im Jahr haben.» Sie lachte. «Mein Lebensgefährte ist nicht so begeistert. Ich muss ihn jedes Mal überreden, mit mir zu kommen.»

Addi konnte das natürlich überhaupt nicht verstehen. «Wieso sind Sie nicht begeistert? Wie kann man von Sylt nicht begeistert sein?»

«Das Publikum», sagte er, «teilweise gefällt mir das Publikum nicht.»

Addi hatte das keineswegs auf sich bezogen. «Na ja, es gibt überall solche und solche. Gebacken kriegt man die Menschen nirgends.» Er hatte herzhaft gelacht und eine weitere Runde Champagner geordert. Clara hatte den Champagner dankend angenommen und getrunken.

Schön, hatte er gedacht und sein eigenes Glas ignoriert, sie ist sich nicht zu schade, von diesem Proleten Getränke anzunehmen!

Irgendwann nach Mitternacht hatte er sie endlich überreden können, nach Hause zu gehen. Sie riss sich sichtlich schweren Herzens los – von der Kneipe oder von dem Typen?, fragte er sich – und schwankte ein wenig auf dem Weg zum Parkplatz. Klar, dass sie nicht mehr ganz nüchtern war, Addi hatte ja jede Menge Champagner in sie hineingefüllt.

Kurz bevor sie den Wagen erreicht hatten, kicherte sie plötzlich. «Als du auf der Toilette warst, hat er mich ziemlich heftig angemacht. Weißt du, was er gesagt hat, als er mich ansprach?»

Es gab ihm einen Stich, mit ihr darüber überhaupt reden zu müssen, und am liebsten hätte er gesagt, dass es ihn einen Dreck interessiere, aber er wusste, dass es ihm keine Ruhe lassen würde und dass er dann nur in die peinliche Situation kommen würde, doch irgendwann nachfragen zu müssen.

Also sagte er betont gleichgültig: «Nein, weiß ich nicht. Was hat er denn gesagt?»

«Er hat gesagt, ich hätte Augen wie Saphire. Eine Frau wie ich müsste viele Saphire tragen. Und er würde mich gerne nach Paris einladen und dort mit mir einkaufen gehen.»

«Aha.» Er war geschockt, und das emotionslose «Aha» gab seine Gefühle nicht im mindesten wieder. Aber etwas anderes hätte er im ersten Moment nicht herausgebracht. Der Kerl war doch wesentlich dreister, als er gedacht hatte. Aber noch mehr als das vulgäre Anerbieten des Düsseldorfers entsetzte ihn die Tatsache, dass Clara kein bisschen verärgert schien. Im Gegenteil, sie lachte noch über die Unverfrorenheit, die ihr entgegengeschlagen war. Wie konnte sie kichern?

«Was gibt es da zu lachen?», fuhr er sie an. «Was, zum Teufel, findest du daran komisch?»

Sie klappte den Mund zu. «Gar nichts!» Im nächsten Moment musste sie schon wieder kichern. Sie hatte einen Schwips und schien sich glänzend zu amüsieren. «Entschuldige, ich weiß, ich sollte nicht lachen. Aber ich finde das zu komisch! Der Typ ist herrlich vulgär, findest du nicht? Und er bleibt sich bis ins letzte Klischee hinein treu!»

«Dir ist hoffentlich klar, dass er eine Gegenleistung möchte? Für nichts und wieder nichts schenkt der dir keine Saphire!»

«Natürlich will er eine Gegenleistung. Glaubst du, ich bin von gestern?»

Er schloss die Autotür auf. «Und?», fragte er, «wirst du sie ihm geben?»

Sie starrte ihn an. «Was?»

«Die Gegenleistung. Wirst du mit ihm nach Paris fliegen, dich mit Saphiren beschenken lassen und mit dem Alten in die Kiste steigen?»

Sie lachte schon wieder. «Quatsch! Ich lass mir gar nichts von dem schenken!»

«Seinen Champagner hast du ohne Zögern getrunken!»

Sie machte eine wegwerfende Handbewegung, die etwas schlingernd ausfiel. «Das ist doch etwas ganz anderes!»

«Das ist der Anfang. Für ihn hast du damit ein Zeichen gesetzt. Er weiß jetzt, dass er bei dir landen kann.»

«Aber ich bitte dich, das kann er doch nicht! Und das weiß er auch. Du warst dabei. Er weiß, dass wir zusammengehören.»

«Diese Sorte Mann glaubt, sich alles kaufen zu können. Ich interessiere ihn dabei überhaupt nicht.

Er hat mich taxiert und festgestellt, dass ich nicht einen Bruchteil von seinem Geld besitze. Damit ist für ihn alles klar. Er wird nicht mehr locker lassen.»

«Der weiß morgen schon gar nicht mehr, wer ich bin.»

«Es wäre anständig von dir gewesen, seinen Champagner abzulehnen.»

Sie wirkte zum ersten Mal ein klein wenig verunsichert. «Aber ich ...»

«Nichts aber! Bist du eine Frau, die sich in Bars von fremden Männern Getränke bezahlen lässt? Ich dachte, dafür hättest du zu viel Niveau!»

«Ich habe nicht mit ihm geflirtet. Ich war völlig normal und natürlich. Ich habe nichts getan, was er hätte missverstehen können.»

«Bis auf die Tatsache, dass du seinen Champagner getrunken hast!», beharrte er.

Es stimmte, sie war ansonsten sehr zurückhaltend gewesen. Aber das mochte den Typen besonders reizen. Clara hatte sich nicht völlig abweisend gegeben, aber deutlich gemacht, dass sie eine schwierige Beute sein würde. Vermutlich war Addi bereits im Jagdfieber.

«Wir werden ja sehen», sagte er und startete das Auto.

Innerlich war ihm kalt gewesen. Er hatte das Drama so deutlich gefühlt, als sei es bereits geschehen, unabänderlich und grausam.

Die Dinge waren entschieden, und er wusste es. Nur Clara hatte noch keine Ahnung.

«Lieber Himmel», sagte Joe, «die hat sich von dem Ekelpaket wirklich noch abschleppen lassen?»

Ja, und du bedauerst es vermutlich, dass du dich nicht mehr ins Zeug gelegt hast, um vielleicht auch noch bei ihr zu landen, dachte er zornig.

«Wir haben Addi am nächsten Tag am Strand getroffen», sagte er, «Clara und ich hatten Krach, wir redeten nicht miteinander. Das machte die Sache für Addi leichter.»

«Lieber Himmel», sagte Joe noch einmal, «Dinge gibt es …» Er legte den Kopf in den Nacken, blinzelte in die Sonne. Der Wind hatte nun nahezu alle Wolken verscheucht, und sofort wurde es richtig warm. Ringsum zogen die Leute ihre Jacken und Pullover aus, setzten ihre Sonnen-

brillen auf. Die Vorsichtigen kramten die Flaschen mit dem Sonnenöl hervor und begannen sich einzucremen. Er begann zu schwitzen. Warum hatte er seinen dicken Wollpullover angezogen? Ihm hätte klar sein müssen, dass der Tag warm werden würde.

«Wir sind von Wenningstedt nach Kampen gewandert», sagte er, ohne sich darüber klar zu sein, weshalb er ausgerechnet Joe die Details der Tragödie mitteilte, «es war warm … irgendwo kam uns Addi entgegen. In einer Badehose mit Tigermuster und mit nacktem Oberkörper.»

«Kann nicht besonders toll ausgesehen haben», sagte Joe, «der Typ hatte doch einen unheimlich fetten Bauch.»

«Ja, und der glänzte auch noch vom Sonnenöl. Aber die viele Kohle sah man ihm selbst im halb nackten Zustand noch von weitem an.»

Er und Clara hatten tatsächlich nur das Nötigste miteinander gesprochen. Er hatte die ganze Nacht nicht geschlafen, hatte sich hin und her gewälzt und verbittert auf Claras tiefe und gleichmäßige

Atemzüge gelauscht. Klar, dass sie gut schlief! Abgefüllt mit Alkohol, wie sie war, und zufrieden nach einem Abend, an dem sie von allen Seiten angemacht worden war ... Wahrscheinlich träumte sie von Addi und einem Haufen Saphire. Er war überzeugt, dass der Gedanke an die Edelsteine und an einen aufregenden Paris-Trip in ihrem Unterbewusstsein arbeitete. Sie hatte darüber gelacht, aber ihre Augen hatten geblitzt. Auf irgendeine Weise hatte sie es genossen.

O Gott, dachte er und starrte mit weit aufgerissenen Augen in die Dunkelheit, wenn wir nur abreisen könnten! Wenn wir nur sofort abreisen könnten!

Während des Frühstücks sagte er kein Wort. Clara war nun wieder nüchtern und ein wenig verkatert. Sie sah elend aus, wie er zufrieden feststellte. Sie aß nichts, trank nur starken schwarzen Kaffee und löste sich ein Aspirin in Wasser auf. Sie sollte ruhig leiden. Wenn sie meinte, in den Nächten ein ausschweifendes Leben führen zu müssen, konnte es ihr durchaus schlecht gehen am nächsten Tag.

«Könntest du mir mal sagen, was los ist?», fragte sie nach einer halben Stunde, während er demonstrativ an ihr vorbei in den Garten hinausgesehen und stumm in seiner Tasse gerührt hatte. «Bist du sauer auf mich?»

«Hätte ich einen Grund?»

«Nein. Aber manchmal bist du auch ohne Grund sauer.»

Er zuckte mit den Schultern, rührte weiterhin mechanisch in seinem längst kalt gewordenen Kaffee.

Später wanderten sie den Strand entlang, und nun war auch Clara beleidigt und sagte nichts mehr. Erst als sie Addi trafen, fing sie wieder an zu reden – und zu lachen und die Haare zurückzuwerfen.

Sie tut das absichtlich, dachte er, um mir eins auszuwischen.

Aber vielleicht tat sie es gar nicht, um ihn zu ärgern. Vielleicht fand sie wirklich Gefallen an dem Mann. Vielleicht rechnete sie sich im Stillen schon aus, was ihr das Leben an seiner Seite einbringen würde.

«Kommt ihr heute Abend ins ‹Gogärtchen›?», fragte Addi.

«Ja, natürlich», sagte Clara und lachte affektiert.

«Nein», sagte er.

«Dann kommst du eben alleine», sagte Addi zu Clara und zwinkerte ihr zu.

Bildete er es sich ein, oder zwinkerte Clara tatsächlich zurück?

Joe ging an die Theke, um sich ein zweites Bier zu holen. Er überlegte, ob er die Gelegenheit nutzen und sich aus dem Staub machen sollte. Doch da kehrte Joe bereits zurück, gierig auf weitere Informationen.

«Sie müssen sich ja totschwitzen», sagte er und fächelte sich selbst Luft zu, «ziehen Sie doch Ihren Pullover aus!»

«Ich habe nichts darunter an», sagte er.

Joe lachte dröhnend. «Bisschen prüde, was? Hier auf der Insel laufen die Leute stellenweise ganz nackt herum! Da werden Sie doch Ihren Pullover ausziehen können! Ihnen läuft ja schon der Schweiß ganz dick über das Gesicht!»

Tatsächlich war ihm heiß wie fast nie zuvor. Er konnte kaum atmen.

Zieh doch das Ding aus, sagte er sich, aber irgendeine innere Stimme warnte ihn davor, dies zu tun. Er begriff nicht recht, weshalb er gewarnt wurde. Irgendetwas stimmte nicht. Irgendetwas war gefährlich. Wenn er nur gewusst hätte, was es war ...

Dunkel entsann er sich der tiefen Kratzer auf Brust, Schultern und Armen. Sie bluteten nicht mehr, aber sie waren noch zu sehen.

Ein unschöner Anblick, entschied er, unästhetisch, nichts für die Öffentlichkeit.

«Mir ist gar nicht so warm», behauptete er.

Joe sah ihn ungläubig an. «Ziemlich durch den Wind, wie? Na ja, wenn mir die Frau durchbrennen würde ... da wüsste ich auch nicht mehr, ob mir warm oder kalt ist. Ist sie denn noch auf der Insel mit dem Kerl? Ich meine, begegnen Sie den beiden noch?»

«Sie ist mit ihm nach Paris gereist. Er wollte sie mit Saphiren beschenken.»

«Und da ist sie schwach geworden, wie?»

Er nickte. Es war ein unendlich müdes, resigniertes Nicken. «Ja. Da ist sie schwach geworden.»

Joe nahm einen tiefen Schluck aus seinem Bierglas. «Die Weiber sind alle gleich», sinnierte er, «eine wie die andere. Wenn sie irgendwo Kohle wittern oder Schmuck oder Klamotten, sind sie nicht mehr zu halten. Eine Scheißwahrheit, aber eine Wahrheit.»

«Clara war nie so.»

«Aber jetzt ist sie doch so.» Joe klopfte ihm kameradschaftlich auf die Schulter. «Kopf hoch! Die Zeiten werden auch wieder besser. Würde mich sowieso nicht wundern, wenn sie eines Tages wieder reumütig vor Ihrer Tür steht!»

«Meinen Sie?»

«Klar. Irgendwann wird alles einmal fad, selbst der schönste Luxus. Die kommt angekrochen, ich sag es Ihnen!»

Aber selbst dann, dachte er, wird es nie wieder sein, wie es war.

Am Abend machte er einen Spaziergang am Watt bei Kampen. Drüben am offenen Meer musste es einen prachtvollen Sonnenuntergang geben, aber er war nicht in der Stimmung, sich das Schauspiel anzusehen. Er begegnete einigen Spaziergängern, manche grüßten ihn, aber er antwortete ihnen nicht. Er wollte mit sich und seinen Gedanken allein sein.

Warum hatte er nicht die geringste Hoffnung, dass Clara zurückkäme? Natürlich würde die Geschichte mit Addi zwischen ihnen stehen, aber manchmal waren Neuanfänge auch unter schlimmsten Bedingungen möglich. In diesem Fall aber war er überzeugt, dass es keinen Neuanfang geben könnte. Er würde Clara nie wieder sehen.

Er erinnerte sich an frühere Beziehungen. Allzu viele hatte er nicht gehabt, eigentlich nur zwei wirklich ernsthafte Geschichten. Sie waren ähnlich zu Ende gegangen: Irgendwann hatten sich die Frauen in andere Männer verliebt und waren mit ihnen verschwunden. Es gab keine Moral unter den Menschen, das war seine bittere Erkenntnis gewesen. Bis Clara kam.

Mit Clara hätte es anders laufen können, davon war er überzeugt. Die verdammte Insel war schuld. Im normalen Leben wäre Clara einem Addi nie begegnet. Einer wie er gehörte nicht zu ihrer beider Umgang, gehörte nicht zu den Menschen, mit denen sie sich trafen, mit denen sie zu tun hatten. Hier auf Sylt prallten Welten aufeinander, dazu auf begrenztem Raum, zwangsläufig, wie es bei Inseln nun einmal der Fall war. Hierher kamen Naturapostel, Romantiker, Sportler, Erholungssuchende, Familien mit kleinen Kindern – und Neureiche. Menschen, denen es wichtig war, sagen zu können, dass sie ihren Sommer in Kampen verbracht hatten. Die alleine mit der Erwähnung dieses Namens schon darauf hinwiesen, über welch prall gefüllte Bankkonten sie verfügten. Menschen, die «in» sein wollten, schick und lässig. Die einen bestimmten Lebensstandard demonstrierten und wollten, dass jeder in ihrer Umgebung davon wusste.

Und davon hatte Clara sich einfangen lassen. Das einfache Leben hatte ihr nicht mehr genügt. Ihr alljährliches Drängen, auf die Insel zu fahren,

hätte ihm schon lange zu denken geben sollen. Das Beschwören ihrer Kindheitserinnerungen, das sentimentale Beharren auf Sylt als «ihre» gemeinsame Liebesinsel hatten schon lange nicht mehr der Wahrheit entsprochen. Es war ihr nur noch darum gegangen, interessante Menschen kennen zu lernen – und interessant verband sie in ihrer Vorstellung mit reich und schön. Nun konnte man Addi aus Düsseldorf zwar keineswegs als schön bezeichnen, aber dafür war er doppelt so reich wie die meisten anderen, und das glich so vordergründige Makel wie seinen Bauch, sein fettes Gesicht und die kurzen Beine offenbar völlig aus.

Er war weit gelaufen, langsam wurde es dunkel, und er war nun ganz alleine hier. Als er merkte, dass er schneller atmete und rascher gelaufen war, als ihm bewusst gewesen war, blieb er stehen. Das Meer lag völlig still vor ihm, es war kein Sonnenlicht mehr über ihm, aber ein letzter Abglanz des Himmels, ein hellgoldener Schein.

Wie schön es hier ist, dachte er, wie still und friedlich.

Er setzte sich auf einen Stein und fühlte für den

Moment eine Ruhe, die sich sehr sanft in ihm ausbreitete. Diese Ruhe war schon sehr lange nicht mehr in ihm gewesen. Manchmal hatte er gedacht, sie habe ihn völlig verlassen, und dies nicht erst, seit Clara vor einigen Tagen davongegangen war. Schon in den letzten Jahren hatte das Gefühl der Angespanntheit in ihm vorgeherrscht. Sicherlich hatte er Clara zu sehr analysiert, hatte sie ständig beobachtet, ihr Verhalten beleuchtet, jedes Wort, das sie sagte, von allen Seiten begutachtet, und manchmal auch jedes Wort, das sie nicht sagte. Gerade weil sie seine Traumfrau war, weil sie die Anforderungen zu erfüllen schien, die er an eine Beziehung stellte, hatte er besonders ängstlich darüber gewacht, dass sie an keiner Stelle Brüche aufwies. Aus einem Haarriss, das wusste er, konnte ein tiefer Graben werden, wenn man ihn nicht rechtzeitig bekämpfte. Er hatte Clara observiert wie einen Staudamm, zwischen dessen Steinen jeden Tag das erste Wasserrinnsal und später eine Flutwelle hindurchbrechen könnte. Daher hatte er nicht mehr locker sein können, nicht mehr ausgeglichen. Seinen Beobachtungsposten hatte er vierundzwanzig Stunden am

Tag nicht verlassen. Erst jetzt registrierte er, wie viel Kraft ihn das gekostet hatte.

Ich fühle mich besser, weil es jetzt passiert ist, dachte er, so schlimm es ist, aber ich kann endlich aufhören, mich zu fürchten. Es ist passiert. Sie hat mich verlassen. Sie hat unsere Ideale verraten. Sie hat getan, wovor ich am meisten Angst hatte. Damit hat sich die Angst erfüllt. Und nun kann ich sie loslassen.

Es war, als glitte die Angst ganz langsam aus ihm heraus. Sie zog sich aus all seinen Organen zurück, aus seinen Nerven, aus seinen Gelenken und Knochen. Erstaunt bemerkte er, wie umfassend sie ihn besetzt hatte. Sie war überall gewesen, ständig in ihm und um ihn.

Es war ihm, als schlage sein Herz gleichmäßiger, als ginge sein Atem ruhiger. Als könne er den Kopf höher tragen, seinen Blick wieder fest in die Zukunft richten. Als könne er überhaupt die Dinge um sich herum wieder wahrnehmen. Clara stand nicht mehr davor. Sie hatte den Weg freigegeben.

Tief sog er die frische, klare Abendluft ein.

Es ist ein neues Leben, dachte er.

Am nächsten Morgen erschien die Wirtin erneut in aller Frühe und brachte ihm ein Stück Kuchen. Er hatte die Nacht wieder auf dem Sofa verbracht, aber er glaubte, in Zukunft notfalls auch im Bett schlafen zu können. Er hatte mehr geschlafen als in den Nächten vorher; zwar war er oft aufgewacht, hatte sich dann minutenlang unruhig gewälzt, war dann aber wieder eingeschlummert. Seine Gewaltträume allerdings hatten ihn wieder begleitet. Er hoffte, dass auch sie sich mit der Zeit verlieren würden.

«Ich wollte nur mal schauen, wie es Ihnen geht», sagte die Wirtin, «gestern haben Sie mir gar nicht gefallen. Sie sahen richtig grau und elend aus.»

«Nett, dass Sie sich kümmern», sagte er, obwohl er überzeugt war, dass nur Neugier die alte Schlange zu ihm trieb, «es geht mir gut. Sie müssen sich keine Sorgen machen.»

«Dann bin ich aber froh.» Sie wirkte enttäuscht. Sicherlich hatte sie gehofft, er werde die Gelegenheit beim Schopf ergreifen und ihr sein Herz ausschütten, und sie würde ein paar interessante

Details aus seinem Beziehungsleben erfahren. «Das Leben geht weiter, sage ich immer.»

Er nickte, als habe sie eine völlig neue Weisheit entdeckt und formuliert. «Da haben Sie Recht. Es geht immer weiter.» Er machte eine kurze Pause. «Trotzdem», fuhr er fort, «verstehen Sie vielleicht, dass ich meinen Urlaub hier nun doch abbrechen möchte. Ich würde gerne morgen abreisen.»

«Oh, das verstehe ich durchaus. Ein Ort voller schmerzlicher Erinnerungen …»

Nun hielt sie einen Moment lang inne. Etwas verlegen setzte sie dann hinzu: «Allerdings …»

«Ich weiß. Ich muss meine Buchung natürlich voll bezahlen.»

«Ich kann nicht darauf verzichten. Ich habe ja anderen Gästen abgesagt, und ich möchte …»

Er nickte ungeduldig. «Keine Frage. Sie bekommen Ihr Geld. Das ist doch selbstverständlich.»

Sie lächelte erleichtert.

Wenn sie Glück hat, dachte er, findet sie kurzfristig noch andere Gäste. Dann kassiert sie doppelt. Und genau das geht ihr gerade durch ihren geschäftstüchtigen Kopf, und deshalb grinst sie so zufrieden vor sich hin.

Er war froh, von der Insel fortzukommen. Weg hier, nur weg. Am liebsten wäre er sofort abgereist, aber irgendetwas trieb ihn, noch ein letztes Mal die vertrauten Stätten zu besuchen. Er wusste, dass er nie wieder hierher kommen würde. Da konnte man sich mit dem Abschied ein wenig Zeit nehmen.

Er wanderte nach List hinauf und aß bei «Gosch» zu Mittag. Wohlweislich hatte er diesmal ein leichtes T-Shirt angezogen. Die Sonne brannte.

Typisch, dachte er, kaum reist man ab, schon wird das Wetter schön.

Auf dem Rückweg lief er am Meer entlang, die Schuhe in der Hand, die Füße vom weißen Schaum der Brandung umspült. Er sah den Badenden zu. Schöne Menschen, auffallend viele schöne Menschen. Jung, gesund, attraktiv. Elegante Badeanzüge, teure Sonnenbrillen. Früher hatte ihm dies einen Stich versetzt. Jetzt konnte er es gelassen beobachten.

Kann mir nichts mehr anhaben, dachte er, kann mich nicht mehr berühren.

Am späten Nachmittag langte er wieder in Wenningstedt an, kletterte ziemlich müde die steile Holztreppe hinauf. Er erwischte einen letzten freien Platz oben an der Promenade, trank einen Cocktail, schaute der Sonne zu, die sich tiefer neigte und rötlich färbte. Ein wohliges Gefühl der Entspannung war in ihm.

Leichtigkeit, dachte er, es ist so etwas wie eine innere Leichtigkeit. Wie schön sich das anfühlt!

Er beschloss, am Abend wieder nach Kampen zu fahren. Ein Wattspaziergang musste sein zum Abschluss, auch wenn er fast zu müde dazu war. Ausruhen konnte er dann zu Hause.

Er fuhr die kurze Strecke mit dem Auto, nachdem er im Appartement ein Stück Brot gegessen hatte. Er war noch immer nicht hungrig, aß eher aus Vernunftgründen. Schließlich durfte sein Kreislauf nicht schlappmachen.

Er parkte den Wagen auf dem großen Parkplatz gegenüber dem «Gogärtchen». In den letzten Tagen hatte er das nicht getan, hatte diese Stätte nicht ertragen. Jetzt konnte er es. Er schaute zu dem Gebäude hinüber, lächelte. Er hatte den Tyrannen, der ihn beherrscht hatte, endgültig besiegt. Er war im Reinen mit sich.

Der Wattspaziergang tat ihm gut, obwohl ihn die Füße schmerzten vom vielen Laufen. Es war schon dunkel, als er zum Auto zurückkehrte. Nun hatte er allen Plätzen, die ihm wichtig waren, die eine Bedeutung für ihn hatten, Lebewohl gesagt. Er hatte sich von einem ganzen Lebensabschnitt verabschiedet. Von Clara. Von allem, was mit ihr zusammenhing.

Als er die Autotür aufschloss, spürte er plötzlich eine Hand auf seinem Arm. Ruckartig drehte er sich um.

Hinter ihm stand Addi.

«Dachte ich doch, dass Sie das sind!», sagte Addi. «Ich stand gerade drüben, schnappte ein bisschen frische Luft … da habe ich Sie erkannt!»

«Würden Sie bitte meinen Arm loslassen?», fragte er mit kalter Höflichkeit in der Stimme.

Addi zog seine Hand zurück.

«Sitze schon den ganzen Abend drinnen an der Bar», sagte er, «Joe ist auch da. War total erstaunt, mich zu sehen. Faselte irgendeinen Blödsinn, ich sei in Paris oder so was Ähnliches! Was soll ich denn in Paris?»

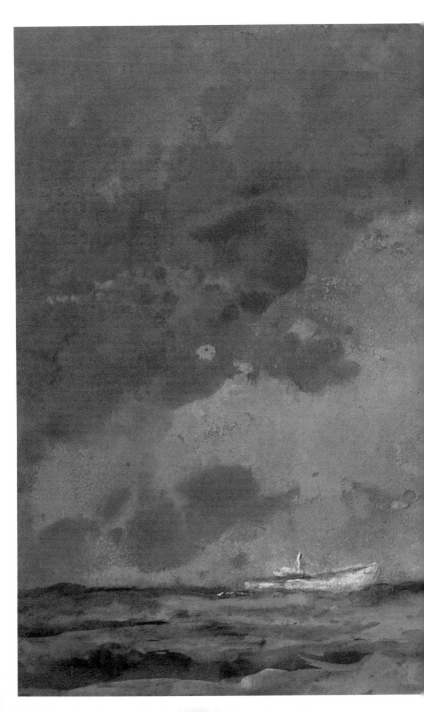

«Warum fragen Sie mich das?»

Addi musterte ihn misstrauisch. «Also, Joe hat mir da eine total abgedrehte Geschichte erzählt. Ich hätte Ihre Freundin angebaggert und nach Paris eingeladen, und sie wäre tatsächlich mit mir abgereist. Um sich mit Juwelen überschütten zu lassen! Ich dachte, ich spinne! Und Sie, hat er gesagt, wären jetzt völlig fertig und ein Bündel Elend, und das alles wegen mir …» Addi nahm einen tiefen Zug aus seiner Zigarette. «Wissen Sie, mir liegt schon daran, das richtig zu stellen. Vielleicht haben Sie mich ja irgendwie verwechselt. Ich hab Ihre Kleine nicht angefasst, Ehrenwort! Mach ich nicht, so was! Hab noch nie einem anderen die Frau ausgespannt!»

Er betrachtete Addi kühl. Überlegen. Distanziert. So fühlte er sich jedenfalls. «So? Sie haben ihr nicht Saphire versprochen, für den Fall, dass sie mit Ihnen nach Paris kommt?»

Addi wirkte ein wenig verlegen. «Doch, kann sein, das hab ich gesagt, als ich sie angesprochen habe. Ist so ein Standardspruch von mir. Wirkt immer bei Frauen, wenn man ihre Augen mit irgendwelchen Edelsteinen vergleicht. Aber, lieber Gott», er hob abwehrend beide Hände, «mehr war nicht! Ganz sicher nicht!»

«Sie haben ihr eine Menge Champagner bezahlt.»

Addi warf seine Zigarette auf die Straße und trat sie mit dem Absatz seines Schuhes aus. «Okay. Das gehört sich nicht, wenn eine Frau mit Begleiter da ist. Gebe ich zu. Aber Ihnen wollte ich ja auch einen Champagner ausgeben, aber Sie haben ja nicht einmal den ersten getrunken!»

«Nun, wie auch immer …», er wandte sich wieder seiner Autotür zu, «ich denke nicht, dass wir beide einander je wieder sehen. Ich reise morgen am späten Vormittag ab. Dies hier war mein letzter Tag auf der Insel.»

«Moment», sagte Addi, «ich möchte die Sache geklärt haben! Ich will so einen Verdacht nicht auf mir sitzen lassen, verstehen Sie? Schließlich haben Sie das alles ja auch herumerzählt! Joe weiß zum Beispiel davon, und das bedeutet, ganz Sylt weiß es.»

«Das interessiert mich nicht.»

«Aber mich! Hören Sie … Sie müssen doch zugeben, dass ich hier vor Ihnen stehe, oder? Dann kann ich kaum gleichzeitig mit Ihrer Süßen in Paris sein!»

«Sie könnten inzwischen zurückgekehrt sein!»

«Bin ich aber nicht. Weil ich gar nicht weg war!» Selbst in der Dunkelheit und nur im Schein der Straßenlaternen war zu erkennen, dass sich Addis Gesicht vor Wut verfärbte. «Sie können zwei Dutzend Leute fragen! Den Barkeeper aus dem ‹Gogärtchen›! Ich war jeden Abend dort! Meine Nachbarn. Meine Freunde! Vorgestern war hier eine Geschäftseröffnung, große Party. Da war ich mittendrin. Da waren auch Fotografen. Da gibt es Bilder von mir!» Addi sah aus, als wolle er jeden Moment mit dem Fuß aufstampfen. «Mensch, ich kann das beweisen! Ich hab keine Ahnung, mit wem Ihr blondes Schätzchen durchgebrannt ist, aber mit mir auf jeden Fall nicht!»

Er öffnete die Autotür. Einen Moment lang fürchtete er, Addi werde ihn packen und zurückreißen, aber offenbar ging ihm nun die Energie aus. Er stand mit hängenden Armen da.

«Was reg ich mich eigentlich auf! Soll ich Ihnen

mal was sagen? Sie sind nicht ganz sauber! Das habe ich mir schon neulich abends gedacht. Der tickt nicht richtig, hab ich gedacht. Vielleicht bekommt Ihnen das Klima hier oben nicht. Extrem viel Sauerstoff, wissen Sie. Manchen wird da ganz schlecht. Aber das sollten Sie nicht harmlose Bürger ausbaden lassen!» Addi drehte sich um und stapfte davon. Unterwegs zündete er sich die nächste Zigarette an. Das Goldkettchen um sein Handgelenk blitzte.

Prolet, dachte er.

Er fühlte sich plötzlich sehr müde. Das Gefühl der Leichtigkeit war verflogen. Irgendetwas sagte ihm, dass Addi nicht log. Er hätte nicht erklären können, was es war, aber ihm war ganz klar, dass Addi die Wahrheit gesagt hatte. Er war nicht mit Clara in Paris gewesen. Was war geschehen?

In Wenningstedt fuhr er gleich zum Parkplatz am Strand, stellte den Wagen ab, ging über die dunkle, menschenleere Promenade und kletterte die Treppe zum Meer hinunter. Der Wind zerrte an seinen Haaren und Kleidern; er wehte unerwartet heftig hier unten am Strand, und er musste sich gegen ihn anstemmen, um bis zum Wasser zu kommen.

Er blieb stehen, als die Wellen seine Füße erreichten. Diesmal hatte er die Schuhe anbehalten, ohne es überhaupt richtig zu bemerken. Sie wurden nass, aber das war ihm egal. Er starrte auf den weißen Schaum, der über den Sand floss.

Wo war Clara?

Er lief am Meer entlang. Er hätte nie gedacht, dass ein Mensch so viel laufen konnte. Bis auf die Mittagspause bei «Gosch» war er jetzt fast achtzehn Stunden auf den Beinen. Trotzdem war nicht die Spur von Müdigkeit mehr da. Seine Glieder schmerzten nicht mehr. Alles trat zurück hinter seinen sich fieberhaft jagenden Gedanken. Er würde nicht stehen bleiben können, ehe er nicht Klarheit gefunden hatte. Klarheit und Clara. Kein Zufall, dass die beiden Worte denselben Stamm hatten. Sie hämmerten in seinem Kopf, Klarheit und Clara, und auf einmal wusste er es und blieb stehen, entsetzt und atemlos und mit weit aufgerissenen Augen.

Er wusste, woher die Kratzer stammten auf seiner Brust und seinen Oberarmen. Er wusste, warum er nur noch in T-Shirt oder Pullover herumlief. Er wusste, warum er nicht mehr im Schlafzimmer im Bett schlief, sondern beharrlich auf dem Sofa im Wohnzimmer. Er wusste, woher das Gefühl der Befreiung und der Leichtigkeit stammte. Er selbst hatte sich von seiner Angst befreit. Er hatte alles Leben aus ihr herausgepresst, hatte gekämpft und gerungen mit ihr, hatte die Kraft gespürt, mit der sie sich wehrte, vernichtet zu werden, hatte sie bezwungen, hatte sie ausgelöscht und wusste, dass sie nie wiederkommen konnte. Nie wieder.

Er ging weiter und dachte, dass sie ihn verstehen würden. Seine Freunde und Bekannten, seine Kollegen. Juristisch betrachtet, hatte er ein Verbrechen begangen, schließlich war er selber Jurist, er wusste über Tötungsdelikte Bescheid. Eine Frau im Bett zu erwürgen und dann im Wattenmeer zu versenken erfüllt sämtliche Tatbestandsmerkmale des Totschlags, und wenn man ein bisschen daran herumargumentierte, auch die des Mordes. Er machte sich nichts vor, sie würden auf ihn kommen. Irgendwann würde jemand Claras Leiche finden und dann auch ihren Rucksack, in den er all ihre Habseligkeiten gepackt hatte, ehe er ihn ebenfalls hinaus ins Watt getragen und versenkt hatte. Dann würde recherchiert werden, und Leute wie Joe und Addi und die Wirtin würden sich erinnern, dass er von Paris erzählt hatte, obwohl Addi gar nicht mit Clara in Paris gewesen war, und Addi würde dies auch beweisen können, und man würde denken, er habe auf raffinierte Weise von sich und seinem Verbrechen ablenken wollen … Dabei hatte er wirklich geglaubt, sie sei in Paris! Er erinnerte sich genau, es geglaubt zu haben. Er war überzeugt, sie wäre nach Paris gefahren, hätte er sie nicht getötet. Auf diesen Gedanken würde er seine Verteidigung aufbauen. Er hatte Clara und Addi zuvorkommen müssen. Vielleicht würde der Richter ihn verstehen. Vielleicht war er verheiratet, kannte die Frauen, war ebenfalls schon belogen und betrogen worden. Er würde wissen, wie es sich anfühlt, hintergangen zu werden, würde die Angst kennen, die Tag und Nacht auf der Lauer liegt. Der Richter würde den unerträglichen Druck nachempfinden können, unter dem er hatte leben müssen. Vielleicht würde Addi zur Verhandlung vorgeladen. Wenn der Richter Addi sähe, würde ihm alles klar sein. Hätte der Richter seine Frau gern mit Addi in Paris gesehen?

Ein Schuldvorwurf an ihn blieb natürlich bestehen. Den musste er sich gefallen lassen, ohne ihn entkräften zu können. Er hätte mit Clara nicht auf diese Insel fahren sollen! Das würde der Richter zu Recht anmerken. Er hätte die Gefahr, die hier lauert, erkennen und ihr von vornherein ausweichen müssen. Das stimmte, und daher würde er diesen Vorwurf auch hinnehmen, ohne sich herauszureden. Niemand hatte je von ihm behaupten können, dass er nicht wusste, wann er Fehler machte, und dass er nicht in der Lage wäre, sich zu seinen Fehlern zu bekennen.

Die Insel. Sie war sein Verhängnis geworden. Und Claras Verhängnis. Der dunkle, ausgestorbene Strand, das tiefschwarze Wasser erschienen ihm wie Sinnbilder des düsteren Weges, den er gegangen war, seitdem er zum ersten Mal hier gewesen war.

Wie gut, dass er sich verabschiedet hatte. Er würde nie wieder zurückkehren. Nie wieder.